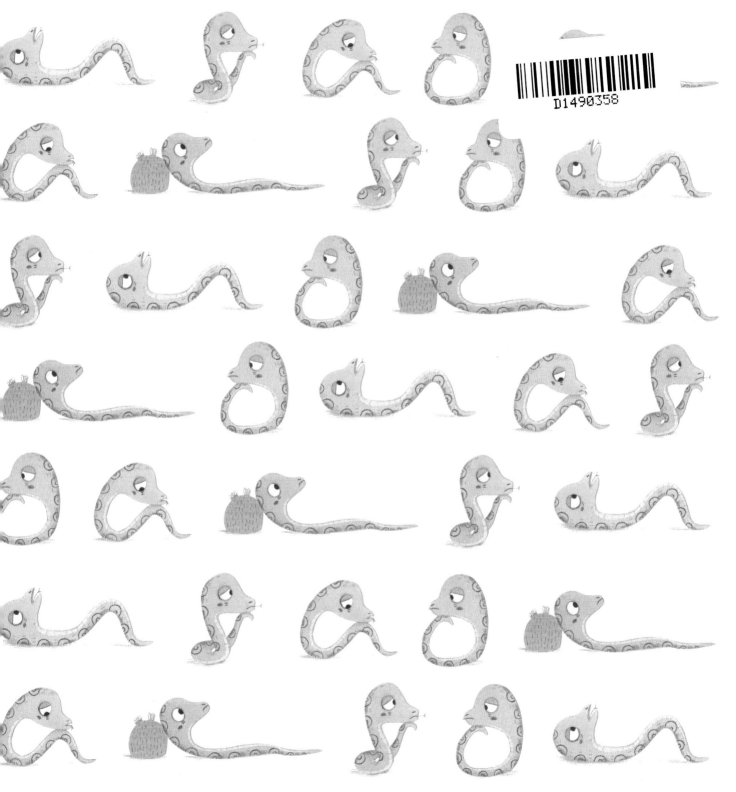

Kiss le serpent
s'ennuie tout le temps

Texte de Coralie Saudo
Illustrations de Mélanie Grandgirard

AUZOU

« Qu'est-ce que je fais, maintenant ? »

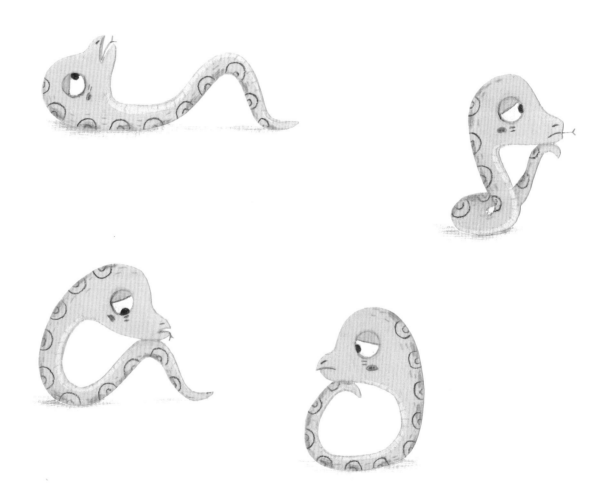

C'est la question préférée de Kiss le serpent.

Kiss apprend vite, très vite, et il n'aime pas du tout faire la même chose deux fois.

Ce matin, comme tous les matins,
Kiss demande à sa maman :

« Maman, ça y est, je suis réveillé.
Qu'est-ce que je fais, maintenant ?

– Va donc ramper au bord de la rivière,
cela te fera prendre l'air, propose Maman.

– Ah non ! s'écrie Kiss, je sais déjà ramper !
Je veux faire quelque chose de nouveau. »

Comme d'habitude, Maman se creuse la tête.
Comment occuper son petit serpent ?
« Va voir Croc l'alligator, et demande-lui de t'apprendre à nager. »

Kiss, ravi, s'en va... et revient aussitôt !
« Voilà ! Je sais nager ! Qu'est-ce que je fais,
maintenant ?

– Hum… réfléchit Maman. Va voir Flap le vautour… Il t'apprendra peut-être à voler. »

Kiss, enchanté, disparaît… et réapparaît encore plus vite !

« Ça y est ! Je sais voler ! Qu'est-ce que je fais, maintenant ?

– Déjà ? s'étonne Maman. Alors va voir
Tess l'araignée, et demande-lui
de t'apprendre à tisser. »

Kiss, joyeux, part à sa rencontre et revient juste après.
« C'est fait ! Je sais tisser ! Qu'est-ce que je fais, maintenant ?

– Tu sais tisser ? C'est merveilleux... Tu pourrais aussi apprendre à tricoter, à coudre, à broder et... »
Maman n'a pas le temps de terminer sa phrase que Kiss a déjà disparu.

« Ouf ! se dit Maman, me voilà tranquille pour un moment... »
Elle ferme les yeux, et...

« Surprise ! » s'écrie Kiss.
Maman sursaute.
« J'ai plein de cadeaux pour toi !
Qu'est-ce que je fais, maintenant ?

– Merci mon chéri, c'est gentil. Tu es doué, vraiment doué…
Mais j'aimerais bien faire ma sieste, MAINTENANT !
– Et moi ? demande Kiss, qu'est-ce que je fais, ALORS ? »

Pauvre Maman...
Kiss apprend vite, très vite, et dès qu'il sait, il s'ennuie
à nouveau...

Il a déjà appris :

à sauter...

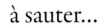

à meugler...

à pêcher...

Mais aussi :

à traire les vaches
du ranch d'à côté...

à creuser un terrier...

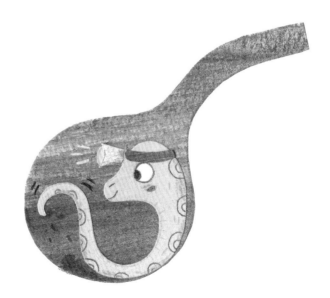

Il a encore appris :

à construire un nid...

à tirer à l'arc...

à fabriquer un tipi...

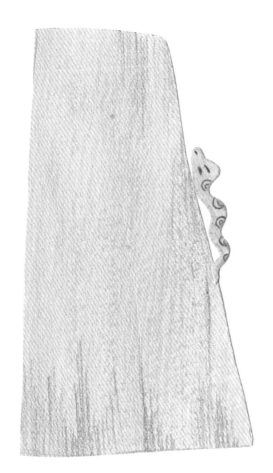

à escalader le canyon...

et même à faire du feu !

Et à chaque fois, il revient auprès de sa maman
avec la même question :
« Maman ? Qu'est-ce que je fais, maintenant ? »
Maman est fatiguée... Elle n'a plus d'idées.

Alors aujourd'hui, elle trouve que ça suffit :
« Je ne sais pas, Kiss ! Tu ne veux pas
te reposer un peu avec moi ?

– Tsss ! Tsss ! Tsss ! Je ne suis pas fatigué, répond Kiss,
et je m'ennuie ! »
Maman s'attendait à cette réponse... Elle est vraiment
épuisée. Elle réfléchit... et a une drôle d'idée !

« Va voir Scritch la chenille ! Elle t'apprendra peut-être à te transformer en papillon. »

Kiss est enthousiaste. Il file trouver Scritch.

Celle-ci lui explique qu'il doit tisser un cocon, se mettre dedans et attendre, tout simplement. Kiss est tout excité à l'idée de devenir un papillon, un vrai !

Il suit les consignes de Scritch à la lettre et,
lové dans son cocon, commence à patienter.
« C'est long, se dit-il, très long... »

Le temps passe, mais Kiss ressemble toujours autant à un serpent...
Alors bientôt, il en a assez.
Il sort de son cocon et rampe, tout penaud, jusqu'à sa maman.
« Maman... Je n'arrive pas à me changer en papillon...

– Kiss, mon chéri, on ne peut pas être doué pour tout. Mais on peut profiter de ce que l'on sait faire... Avec tout ce que tu as appris, tu pourrais t'amuser jour et nuit !

– Mais Maman ! Scritch, elle sait se transformer en papillon, elle...
– Scritch sait le faire parce que c'est dans sa nature... »

Maman demande alors :
« Veux-tu que je te montre notre spécialité, à nous les serpents ?
– Je veux bien... » pleurniche Kiss.

« C'est quelque chose que je sais faire, que j'aime faire, et que
je ne me lasserai jamais de faire... » poursuit Maman en s'enroulant
tendrement autour de son petit serpent.
Elle fait un tour, deux tours, trois tours...

« Kiss... Kiss... Kiss ! »
Kiss est bien.
Tellement bien, qu'il en oublie de demander :
« Qu'est-ce que je fais, maintenant ? »

Direction générale : Gauthier Auzou
Responsable éditoriale : Laura Levy
Assistante éditoriale : Juliette Féquant
Mise en pages : Mylène Gache
Responsable fabrication : Jean-Christophe Collett
Fabrication : Lucile Pierret
Relecture : Lise Cornacchia

www.auzou.fr

Mes p'tits albums

 Roucoule est amoureuse

 et les trois œufs

 Octave ne veut pas grandir

 Moustache ne se laisse pas faire

 Le loup qui voulait changer de couleur

 Petite taupe ouvre-moi ta porte !

 Zaïo le petit pirate !

 La chauve-souris à l'étoile

 Berlingot est un superhéros

 Rosetta n'est pas cracra !

 Croquette devient grand frère

 Armande la vache qui n'aimait pas ses taches !

 Crocky le crocodile a mal aux dents

 Robin, le petit écureuil des bois

 Le loup qui s'aimait beaucoup trop

 La petite souris et la dent

 Sa majesté Léonardo n'en fait qu'à sa tête

 Petit panda cherche un ami

 Séraphin, le prince des dauphins

 Martin le pingouin a un nouveau voisin

 Michel l'ourson a peur du noir

 Le loup qui cherchait une amoureuse

 Ferdinand le Papa Goéland

 Petit Castor reçoit un drôle de cadeau !

 Le loup qui ne voulait plus marcher

 Manolo le blaireau se prépare pour l'hiver

 Renato aide le Père Noël

 Le loup qui voulait faire le tour du monde

 Le loup qui voulait être un artiste

 Camille

 Chouquette et les Secrets Magiques

 Clotilde part en colonie de vacances

 Cédric veut être fils unique !

 Le loup qui voyageait dans le temps

 Pipo raconte n'importe quoi !

 Le loup qui fêtait son anniversaire

 Sami le ouistiti, prince d'Amazonie

 La famille Suricate déménage

 Le loup qui découvrait le pays des contes

 Clotilde aide sa nouvelle amie

 Chouquette est dans la lune

 Berlingot n'a peur de rien !

 Moustache le roi des bêtises

 Jules veut soigner son ami

 Azuro le dragon bleu

 Babou a un talent fou !

 Léon le raton part découvrir le monde

 Une surprise pour Petite taupe

 Azuro Sur la piste de Jippy !

 Hector et la chasse au trésor

 Kiss le serpent s'ennuie tout le temps

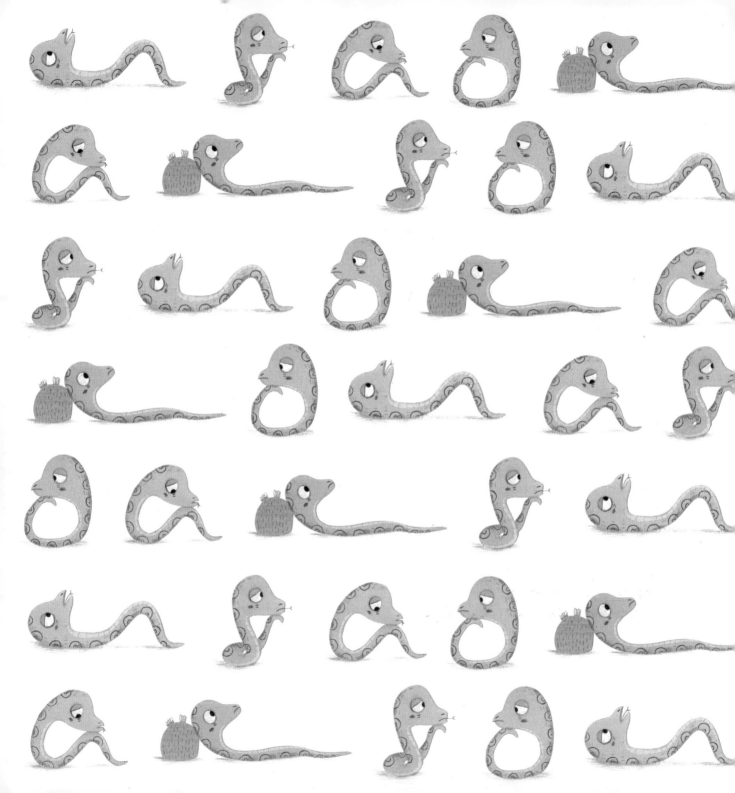